D0305899

Robin en Suze

Dit boek is opgedragen aan Trudy, mijn zusje, en Marianne, mijn dochter

Bekroond met een Zilveren Griffel 1994

Sjoerd Kuyper

Robin en Suze

met illustraties van Philip Hopman

Nieuw Amsterdam *Uitgevers*

In deze serie verscheen ook *Robin is verliefd*, Zilveren Griffel 2007

avi 6

Vijfde, gewijzigde druk 2008

leeftijd vanaf 4 jaar

© Sjoerd Kuyper 1993
© illustraties Philip Hopman
© foto auteur Keke Keukelaar
Alle rechten voorbehouden
Boekverzorging steef liefting

NUR 281
ISBN 978 90 468 0317 2

www.nieuwamsterdam.nl
www.sjoerdkuyper.com
www.philiphopman.nl

Inhoud

Schommel

Robin heeft een paard. Mama heeft het gemaakt. Het hoofd van het paard is een grijze sok van papa. Mama heeft van alles in de sok gepropt. Het is een prachtig hoofd. Er zitten ogen op en ook een mond. Er komen touwen uit de mond. Die heten teugels en daar kun je mee sturen. Op het hoofd zit veel haar, zwart en dik. Je kunt het haar niet goed kammen. De rest van het paard is een stok.

Het paard ligt op de trap. Het rust uit. Het paard is moe. Ze hebben hard en lang gereden, Robin en zijn paard. Robin was een ridder en het paard was het paard van de ridder.

Knor zit bij het paard op de trap. Knor is het varken van Robin. Hij heeft kleine oogjes en zachte oren en een staartje dat echt krult. Hij is roze. Knor is Robins grote vriend en knuffel. Maar als Robin een ridder is, dan is Knor ook een ridder. Dan rijden ze samen op het paard.

Knor is moe, net als het paard, en Robin rust ook een beetje uit. Op de schommel. De schommel hangt naast de trap. In de gang. Robin zwaait heel rustig heen en weer. Zijn voeten kunnen bij de grond. Makkelijk zat. Maar nu laat hij ze bungelen. Heel rustig. Heen en weer.

De voordeur zwaait open. Papa komt binnen. Papa is nat. Zijn jas is nat. Zijn hoofd is nat. Zijn haar is nat. Alles is nat. Kleddernat.

'Allemachtig!' roept papa. 'Het regent zure appelen. Het deed pijn aan m'n kop!'

'Je mag niet kop zeggen,' zegt Robin.

'Van wie niet?' vraagt papa.

'Van juf Tineke,' zegt Robin. 'Je moet hoofd zeggen.'

'Juf Tineke heeft gelijk,' zegt papa.

'Een paard heeft ook een hoofd,' zegt Robin, 'en je mag ook niet poepen zeggen.'

'Ik ga mijn haar droogrossen,' zegt papa.

Papa loopt de keuken in. Hij gaat zijn haar droogrossen.

'Je moet drukken zeggen!' roept Robin.

Hij zet zijn voeten op de grond. Hij begint te steppen. De schommel gaat heen en weer. Robin houdt de touwen stevig vast en zingt:

'Validon en Bommerkruit, Validon en Bommerkruit, Validon en Bommerkruit, hun paard is moe.'

De schommel gaat steeds hoger. Papa steekt zijn hoofd uit de keuken. Hij rost een handdoek door zijn natte haar.

'Wat is Validon en Bommerkruit?' vraagt papa.

'Ik ben Validon,' roept Robin. 'En Knor is Bommerkruit. Wij zijn twee ridders en wij durven veel.'

'Mogen Validon en Bommerkruit ook niet poepen zeggen?' vraagt papa.

'Ridders durven dat wel,' zegt Robin.

'Gelukkig maar,' zegt papa. 'Ik vind drukken zo'n gek woord. Drukken, dat doe je op een deurbel.'

Daar moet Robin om lachen.

'Ga je niet te hoog met je schommel?' vraagt papa.

Zijn hoofd verdwijnt weer in de keuken.

'Validon en Bommerkruit,' zingt Robin. 'Validon en Bommerkruit, Validon en Bommerkruit, die gingen samen poepen.'

De schommel gaat steeds hoger.

'Validon en Bommerkruit, Validon en Bommerkruit, Validon en Bommerkruit, die gingen samen poepen.'

Het is een goeie schommel. Papa heeft grote glimmende

haken in het plafond gedraaid. Aan die haken hangen de touwen en aan die touwen hangt de schommel. Papa is eerst zelf
gaan schommelen. Dat ging goed. De schommel viel niet
naar beneden. Toen mocht Robin.

'Validon en Bommerkruit, Validon en Bommerkruit, Validon en Bommerkruit, die gingen samen poepen.'

Als het weer zomer wordt mag de schommel buiten. Aan
de takken van de klimboom.

'Validon en Bommerkruit,' zingt Robin. 'Validon en Bommerkruit, Validon en Bommerkruit, die poepten in de lucht.'

De schommel gaat nóg hoger. Ridders durven alles.

Bal

'Papa,' zegt Robin, 'zullen we voetballen?'

'Kijk eens naar buiten,' zegt papa.

Robin kijkt naar buiten. Het lijkt alsof een heleboel grote kerels teilen water tegen het raam staan leeg te gooien – zo hard regent het. In de tuin staan grote plassen. Je kunt er misschien zwemmen, maar voetballen zeker niet.

'Het regent zure appelen,' zegt Robin.

'En het waait als een gek,' zegt mama.

Mama zit in de stoel naast de bank. Ze zit te breien. Ze breit iets kleins.

'Maar ik wil zo graag voetballen,' zegt Robin.

'Ja,' zegt papa. 'Een fijn potje voetbal. Daar heb ik ook wel zin in. Misschien kunnen we heel rustig voetballen. Heel rustig voetballen, dat mag ook wel binnen. In de kamer.'

'Goed zo, papa!' roept Robin.

'Toch?' vraagt papa en hij kijkt naar mama.

Mama knikt.

'Maar dan moet jij ook rustig doen,' zegt ze tegen papa.

Papa haalt de bal.

'Ik ben de keeper,' zegt papa.

'Wie is de beste keeper van de hele wereld, papa?' vraagt Robin.

'Ik,' zegt papa. 'Ik ben de beste keeper van de hele wereld. Let maar eens op.'

Papa legt de bal voor de voeten van Robin.

'De bank is het doel,' zegt papa.

Papa gaat voor de bank staan. Robin schopt tegen de bal. De bal rolt naar papa toe en papa raapt hem op.

'Hebbes!'

Hij rolt de bal terug naar Robin. Heel rustig. En Robin schopt weer. Robin schopt wel tien keer. Maar hij maakt geen doelpunt. Papa raapt de bal steeds op.

'Tjee, papa!' zegt Robin. 'Jij bent echt de beste keeper van de hele wereld!'

'Je moet meer in de hoeken mikken,' zegt papa.

Hij wijst naar de twee hoeken van de bank.

'Daar en daar... Dan wordt het moeilijker voor mij.'

Dat is een goed idee. Robin kijkt heel goed naar de hoek van de bank en hij schopt de bal naar die hoek. De bal gaat net naast de bank.

'Mis,' zegt Robin.

'Maar het was een goed schot,' zegt papa. 'Waar is de bal nu gebleven?'

Papa gaat op zijn knieën zitten en kijkt achter mama's stoel. 'Ik zie de bal niet,' moppert hij.

Robin ziet alleen nog maar de billen van papa, en de zolen van zijn sloffen. Dat is een grappig gezicht. Robin lacht naar mama en mama lacht naar Robin. En dan... ziet Robin de bal!

'Kom maar, papa,' zegt Robin. 'Ik heb de bal al.'

Papa komt achter de stoel vandaan. Robin loopt naar mama toe. Hij kan het niet geloven. Mama heeft de bal verstopt! Onder haar trui. Ha! Wat een goeie mop!

'Hier is-tie!' zegt Robin.

Hij tilt mama's trui op.

Maar daar is de bal niet. Mama heeft gewoon een héél erg dikke buik. Robin kijkt zó verbaasd naar de dikke buik, dat mama vreselijk moet lachen. En papa lacht mee.

'Waarom heb jij zo'n dikke buik, mama?' vraagt Robin.

'In die buik,' zegt mama, 'zit iets héél bijzonders.'

En dan... weet Robin het!

'Een baby'tje!!!' schreeuwt hij.

Mama knikt.

Robin wordt warm en woest en wild vanbinnen. Dat voelt hij. Hij is zó blij! Hij wil gaan dansen en springen en schreeu-

wen en in zijn speelgoedkast klimmen. Hij wil... Hij wil... Hij
wil van alles, maar hij doet niks. Hij staat heel stil bij mama en
legt zijn hand op haar dikke buik.

'Is het écht waar?' vraagt hij.

Mama knikt weer.

'Ik zie in jouw ogen,' zegt mama tegen Robin, 'een heel
groot feest.'

En nu knikt Robin.

'Geef mama maar een kus,' zegt papa.

'Driekus!' roept Robin.

Papa komt erbij staan. Ze kussen elkaar, Robin en mama en
papa. Alle drie tegelijk. Mondhoek op mondhoek, mondhoek
op mondhoek, mondhoek op mondhoek. Hun kusjes passen
precies op elkaar. Een driekus.

'We moeten gaan oefenen,' zegt papa, 'voor een vierkus.'

Robin rent naar de bank en pakt Knor.

'Knor was de baby,' zegt hij.

Ze kussen weer, Robin en mama en papa. En nu doet Knor ook mee. Knor is de baby. Ze kussen alle vier tegelijk. Mond-hoek op mondhoek, mondhoek op mondhoek, mondhoek op varkensbekkie, varkensbekkie op mondhoek. Ze oefenen wel tien keer de vierkus.

Voor als het baby'tje er is.

Hoofd

Robin zit met mama in de bus. Mama gaat naar de stad, naar de vroedvrouw. En Robin mag mee.

De bus rijdt langs de weilanden. Het riet bij de slootjes ligt plat in de storm. Grijze wolken jagen als paarden door de lucht, alsof een vent met een grote zweep achter ze aan zit. De vogels hebben zich verstopt. Niemand weet waar. Dat is geheim. De koeien staan op stal. Het is koud in de wereld. Robin heeft een das om en een muts op.

Ook in de straten van de stad waait het hard. Het lange haar van mama wappert voor haar hoofd uit.

'We moeten hard lopen,' zegt mama. 'Anders waait het haar van mijn hoofd af.'

Mama neemt grote stappen.

'Wil je mijn muts op?' vraagt Robin. 'Dan kan je haar in mijn muts.'

Mama lacht.

'Dank je, lieverd,' zegt ze. 'Het was een grapje.'

'Dat dacht ik al,' zegt Robin.

Hij neemt ook grote stappen. Ze lopen heel hard samen. Zo zijn ze snel bij de vroedvrouw.

In de wachtkamer zitten allemaal mevrouwen met dikke buiken. Ze lijken wel vriendinnen van elkaar, zo gezellig babbelen ze samen. Ze praten over de baby's in hun buik en hoelang het nog duurt voor die geboren worden.

Robin bladert in een boekje. Het staat vol foto's van mevrouwen met een baby in hun buik. Ook ziet hij baby'tjes die al geboren zijn. Hij ziet baby'tjes in badjes, baby'tjes in

bedjes, baby'tjes op paarden, baby'tjes op fietsen, baby'tjes in wagentjes, baby'tjes die hoog in de lucht worden gegooid... Alle baby'tjes lachen. Het is zeker fijn om een baby te zijn. Robin weet dat niet meer zo goed. Hij is het vergeten. Het is al lang geleden dat hij een baby was. Hij bladert in het boekje en luistert naar wat de vrouwen vertellen.

Mama babbelt het vrolijkst van allemaal. Dat snapt Robin wel. Want mama gaat winnen. Mama's baby komt al gauw, zegt ze.

'Hoe vind jij dat?' vraagt een mevrouw opeens aan Robin. 'Dat je een broertje of een zusje krijgt?'

'Fijn,' zegt Robin verlegen.

Dan zijn Robin en mama aan de beurt. Ze staan op en gaan de kamer van de vroedvrouw in.

Eerst kijkt de vroedvrouw naar de plas van mama. Die heeft mama in een flesje gedaan. De vroedvrouw houdt het flesje schuin en steekt een papiertje in de gele plas.

'In orde,' zegt ze.

Dan moet mama op de weegschaal gaan staan. De baby is gegroeid. Robin loopt naar het hoge bed dat in een hoek van de kamer staat. Hij hoopt dat mama er gauw op gaat liggen.

Dat doet ze. Mama gaat op het bed liggen. Met haar dikke blote buik als een walvis omhoog. De vroedvrouw legt haar handen op de buik en begint te duwen. Veel te hard! De vroedvrouw steekt haar vingers diep in mama's vel. Maar mama zegt er niks van, dus Robin zegt ook niks.

'Ha!' zegt de vroedvrouw. 'Wat voel ik hier? Een rond hard hoofd – dát voel ik.'

'Een rond hard hoofd?' zegt mama. 'Dat willen wij wel, hè Robin? Een baby met een rond hard hoofd.'

Robin knikt. Een rond hard hoofd, dat klinkt goed.

'Heb ik ook een rond hard hoofd?' vraagt hij.

'Voel maar,' zegt mama.

Robin voelt. Ja hoor, hij heeft ook een rond hard hoofd. Fijn is dat.

Maar nu komt het fijnste. De vroedvrouw pakt een microfoontje en zet dat op mama's buik.

'Even zoeken,' zegt ze.

Het zoeken duurt niet lang. Daar klinkt het hartje van de baby keihard door de kamer.

Kadoenk-kadoenk-kadoenk.

Mama ligt heel blij te kijken.

'Als een treintje,' zegt ze.

Kadoenk-kadoenk-kadoenk.

Zo slaat het hartje van de baby.

'Als een ridder,' zegt Robin. 'Als een ridder op een vreselijk woest paard.'

Kadoenk-kadoenk-kadoenk.

Mama staat op. Ze doet haar kleren dicht. En als ze weer buiten lopen, zegt Robin:

'Mijn paard heeft nu nog wieltjes. Hij moet nog geboren worden. Hij zit nog in mijn buik. Dan komt er een gaatje in mijn buik en dan wordt mijn paard geboren. En dan heeft hij pootjes. Dan kan hij lopen en rennen, net als mijn andere paard. En dan gaat het gaatje in mijn buik weer dicht. Goed systeem, hè?'

Mama lacht.

Oei, denkt Robin. Waarom lacht mama? Om systeem denk ik. Omdat ik systeem zei. Dat was vast niet het goede woord. Hij denkt nog even verder. Dan zegt hij:

'Goed... hè?'

'Ja,' zegt mama, 'dat is een heel goed systeem. En wat een mooi woord ook... systeem.'

Ze lopen door de storm. Hand in hand. De wind waait

recht in hun gezicht. De wind wil ze tegenhouden. Maar dat lukt niet. Ze zijn zo sterk. Ze nemen grote stappen en hun harten slaan mooi in de maat:

Kadoenk-kadoenk-kadoenk.

Hun harten, alle drie.

Teil

Robin zit in bad. Hij is ridder Validon. Zijn vriend, de dikke ridder Bommerkruit, zit op de rand van het bad. Knor is de dikke ridder Bommerkruit.

Ze zijn moe. Ze hebben hard gevochten met de boze Koning van de Spinnen. Die is nu dood. Bommerkruit is met zijn dikke roze kont boven op de dode koning gaan zitten. Dat is een goed systeem.

'Ridder Validon,' zegt ridder Bommerkruit, 'de spinnen willen allemaal dat u nu koning wordt.'

Ridder Validon knikt. Koning Validon, dat klinkt goed.

'Maar,' zegt ridder Bommerkruit, 'dan moet u wel acht pootjes hebben.'

Ridder Validon tilt ridder Bommerkruit op. Daar, op de rand van het bad, ligt een grote dode zwarte spin. Ridder Validon telt de pootjes. Acht. Dat klopt.

Ridder Validon telt zijn eigen pootjes. Het zijn er maar vier. Twee armen en twee benen. Wat nu? Hij legt de dode Koning van de Spinnen op zijn knie en laat de knie langzaam onder water zakken.

'Hij is begraven,' zingt ridder Validon met zijn zware stem, 'hij is begraven, hij is begraven, de koning is dood.'

De dode Koning van de Spinnen drijft door het bad, alle acht zijn pootjes wijd.

Beneden in de keuken klinkt opeens een vreselijk lawaai. Hoort Robin het goed? Ja! Hij hoort mama schreeuwen. Heel even maar. Een korte felle schreeuw. Mama heeft zich pijn gedaan!

Robin springt uit het bad, zó woest, dat Knor in het water
valt. Maar dat geeft niet. Knor kan zwemmen. Bloot rent
Robin naar beneden. Plets-plats gaan zijn natte voeten op de
trap.

Mama staat in de keuken. Ze houdt haar hoofd onder de
kraan. De kraan staat wijd open. Een dikke straal water
plenst neer op mama's haren.

'Heb jij geschreeuwd?' vraagt Robin.

Mama houdt haar hoofd schuin en kijkt naar Robin.

'Sta daar niet zo bloot,' zegt mama. 'Toe, trek je ochtend-
jasje aan.'

Robin schrikt. Wat is dat, dat rode, dat langs mama's wang
druipt? Zo langs haar kin de gootsteen in? Robin ziet het
heus wel, het is bloed! Er komt bloed uit mama's hoofd!

'Schiet op,' zegt mama. 'Trek wat aan.'

Ze houdt haar hoofd nog steeds onder de kraan.

'Je bloedt!' schreeuwt Robin.

'De teil is op mijn hoofd gevallen,' zegt mama.

De teil! De grote grijze teil, die mama 's zomers altijd in de tuin zet. Vol water. Dan heeft Robin daar ook een badje. Robin kijkt naar de muur. Hij ziet alleen de spijker waaraan de teil altijd hangt. De teil hangt er niet meer.

De teil ligt op de grond. Hij is van de spijker gevallen. Eerst op mama's hoofd en daarna op de grond. Dat was het lawaai dat Robin hoorde. Nu heeft mama een gat in haar hoofd.

'Het valt allemaal best mee,' zegt mama. 'Sta daar niet zo. Ik ga niet dóód.'

Robin schrikt. Dood is een naar woord. Als je speelt is het spannend, maar in het echt niet.

'Sta niet zo te bibberen!' zegt mama. 'Trek wat aan.'

Het is waar, Robin staat opeens vreselijk te bibberen. Was papa maar thuis. Maar papa is niet thuis. Robin draait zich om en rent de trap op. Mama gaat niet dood. Ze heeft het zelf gezegd.

'En je sloffen ook!' roept mama.

Robin trekt zijn ochtendjas en zijn sloffen aan. Dan rent hij weer naar beneden. Mama zit naast de telefoon. Ze heeft een nat washandje op haar hoofd.

'De dokter komt even kijken,' zegt ze.

Een paar minuutjes later gaat de bel. Daar is de dokter al.

Robin doet de deur open.

'Mama is in de kamer,' zegt hij.

De dokter aait Robin over zijn hoofd en loopt snel de kamer in. Mama zit op de bank. Ze tilt het washandje op en de dokter kijkt naar haar hoofd.

'Oei,' zegt hij. 'Dat is een flinke wond. Even de tanden op elkaar.'

Hij trekt zijn zwarte handschoenen uit en maakt zijn tas open. Hij gaat naast mama op de bank zitten. Hij pakt een lange spuit en geeft mama twee prikjes in haar hoofd.

Eerste prikje.

'Ai!' zegt mama.

Tweede prikje.

'Oei!' zegt mama.

En dan... zo gek! Dan pakt de dokter een naald uit zijn tas, en een draad, en dan naait hij het gat in mama's hoofd dicht! Alsof hij een sok zit te stoppen!

Mama is stoer. Ze kijkt naar Robin en ze lácht naar hem.

'Zo,' zegt de dokter. 'Weer gepiept.'

'En,' zegt mama een beetje verlegen, 'en... de baby?'

De dokter neemt zijn stethoscoop uit zijn tas en duwt die tegen mama's blote buik. Hij luistert naar het hartje van de baby.

'Kadoenk, kadoenk, kadoenk!' zegt hij. 'Met de baby is alles goed. Geen zorgen om de baby.'

De dokter knipoogt naar Robin. Hij doet zijn tas dicht en kijkt om zich heen.

'Wie heeft mijn handschoenen gezien?' vraagt hij.

Robin en mama kijken met de dokter mee, maar niemand ziet de handschoenen. De dokter staat op van de bank en begint te dansen. Het is een vreemde dans. Hij zwaait met zijn armen en schopt zijn benen in het rond.

'Waar zijn mijn handschoenen?' zingt hij. 'Waar zijn mijn handschoenen?'

Robin vindt het gek dat de dokter danst. Hij vindt het niet leuk. Dokters moeten niet dansen. Opeens ziet Robin de handschoenen. Ze liggen op de bank. De dokter zat er op! De twee handschoenen liggen daar als twee dode zwarte spinnen op de bank. Met hun pootjes wijd.

Knor!

Knor zwemt nog in het bad!

Robin rent de kamer uit. De trap op. Naar boven.

'Zeg eens: "Dag dokter"!' roept mama hem na.

'Dag dokter!' schreeuwt Robin. 'Je handschoenen liggen op de bank.'

Knor zwemt op zijn rug door het bad. Hij lacht. Dappere ridder Bommerkruit. Ligt daar gewoon te lachen! Zijn pootjes steken omhoog. Robin telt ze. Het zijn er vier. Robin heeft ook vier pootjes. Dan hebben ze er samen...

Robin telt eerst de pootjes van Knor:

'Eén, twee, drie, vier...'

En dan zijn eigen pootjes erbij:

'...vijf, zes, zeven, acht!'

Maar dat is prachtig!

'Knor!' roept Robin. 'Wij zijn samen de Koning van de Spinnen! Want wij hebben samen acht pootjes!'

Knor zwemt nog altijd lachend rond. Robin wil ook weer in

het bad stappen, maar het water is koud. Hij vist Knor uit het koude water en rolt hem in een handdoek.

'Jij was ridder Bommerkruit,' zegt Robin. 'Weet je nog wel? En ik was ridder Validon. En samen waren wij de Koning van de Spinnen. Wij hielpen jonkvrouwen als ze zich pijn hadden gedaan. Als ze een gat in hun hoofd hadden. Ja toch?'

Wachten

Robin loopt de trap af. Hij heeft iets bedacht. Dat gaat hij aan mama en papa vertellen.

Mama en papa zitten naast elkaar op de bank. Ze doen niks. Ze zitten alleen maar. Er komt keiharde muziek uit de radio. Robin gaat vlak voor mama en papa staan. Dan kunnen ze hem goed horen.

'Als je een gat in je hoofd hebt,' schreeuwt Robin, 'en het regent, dan komt er water in dat gat. En dan kunnen daar eenden in. Dan heb je een vijver in je hoofd!'

'Dat is waar!' schreeuwt papa.

'Wat doen jullie?' schreeuwt Robin.

'Wij wachten!' schreeuwt mama.

'Waarom wachten jullie?' schreeuwt Robin.

'Wij wachten op het baby'tje!' schreeuwt papa.

'O,' schreeuwt Robin.

Hij gaat tussen mama en papa op de bank zitten. Hij gaat ook wachten. Het lijkt of de muziek steeds harder wordt. Het wachten duurt erg lang.

'Wanneer komt het baby'tje?' schreeuwt Robin.

'Dat weten wij niet!' schreeuwt papa.

'De vroedvrouw heeft gezegd,' schreeuwt mama, 'dat het baby'tje komt als het helemaal klaar is!'

'Wanneer is hij helemaal klaar?' schreeuwt Robin.

'Dat weten wij niet!' schreeuwt papa.

'Misschien vandaag!' schreeuwt mama.

'Misschien morgen!' schreeuwt papa.

Robin gaat op de bank staan en kijkt naar buiten. Er vaart

een schip vol zure appelen door de lucht. De zure appelen vallen uit het schip. Het regent zure appelen.

Robin ziet een kletsnatte poes tussen de struiken. Dat vindt hij zielig. Hij tikt tegen het raam om de poes te roepen. Maar de poes schrikt en sluipt weg door het hoge natte gras. Het is al bijna donker buiten. De straatlantaarns zijn al aan.

De telefoon gaat. Papa springt van de bank.

'Ha!' schreeuwt hij. 'Ik denk dat dat de baby is, die opbelt. Ik zal meteen eens vragen wanneer hij komt.'

Papa zet de muziek zachter en neemt de telefoon op.

'Hallo,' zegt hij en hij luistert.

Hij schudt zijn hoofd naar Robin en mama. Het is de baby niet.

'Papa maakt een grapje,' zegt Robin.

'Ik denk het ook,' zegt mama.

Ze slaat haar arm om Robin heen. Papa praat in de telefoon. Dan legt hij de hoorn neer en gaat voor het raam staan. Hij tuurt naar buiten, naar links en naar rechts. Hij schudt zijn hoofd en zegt:

'Ik zie nog niks. Geen baby'tje te zien op straat. Zielig hè, dat het zo regent. Zo'n klein baby'tje in die grote regen...'

Robin denkt na. Het baby'tje komt toch niet over de weg? Dat kan toch niet! Een baby die op kleine beentjes door de plassen stampt. Met laarsjes aan zeker! Een baby met een paraplu!

'Dat kan toch niet!' zegt Robin.

'Waarom niet?' vraagt papa.

'De baby komt toch uit mama's buik!' zegt Robin. 'Dat heb je zelf gezegd.'

'O ja,' zegt papa. 'Dat is ook zo. De baby komt uit mama's buik. Nu weet ik het weer.'

Robin kijkt papa aan. Is papa echt zo dom?

Nee.

Papa lacht.

'We willen zó graag dat de baby komt,' zegt papa, 'we worden er allemaal een beetje gek van. Gek van het wachten.'

'Ik niet,' zegt Robin.

'Dat is waar,' zegt papa. 'Jij niet.'

Met zijn grote sterke handen tilt hij Robin hoog op. Hij schudt Robin geweldig woest heen en weer.

'Niet zo hoog!' schreeuwt Robin.

'Nóg hoger,' roept papa. 'Naar boven, naar bed!'

'Driekus!' schreeuwt Robin.

Ze kussen elkaar, Robin en papa en mama.

Ze weten niet dat dit hun laatste driekus is. Hun allerlaatste driekus. Want morgen...

Maar dat weten ze nog niet.

Papa legt Robin in bed en stopt hem stevig in. De regen rit- selt op het dak. Knor is nog een beetje nat van het bad. Hij heeft de handdoek nog om.

'Waar moet het verhaaltje over gaan?' vraagt papa.

'Over de dode Koning van de Spinnen,' zegt Robin.

'O,' zegt papa. 'Dan moet ik even nadenken.'

'Hoeft niet,' zegt Robin. 'Ik vertel het wel.'

En dat doet hij. Papa luistert en Robin vertelt het verhaal van de boze Koning van de Spinnen en de ridders Validon en Bommerkruit. Hoe ze vochten en wonnen.

'En toen was de koning dood en toen wilden alle spinnen dat ik koning was, maar ik moest acht pootjes hebben...'

Papa luistert en Robin vertelt verder tot het verhaal uit is. Dan zegt hij:

'En nu zijn Knor en ik één koning.'

Papa knikt.

'Dank je,' zegt hij. 'Het was een prachtig verhaal.'

Trots valt Robin in slaap.

Ziek

Robin wordt wakker. Hij moet overgeven. Hij wil mama roepen, maar hij durft zijn mond niet open te doen. Want dan komt het. Hij houdt zijn mond stijf dicht en stapt uit bed. Hij doet zijn sloffen aan. Anders wordt hij nóg zieker.

Het is nacht. Het is stil in huis. Nergens brandt licht. Robin rent over de gang naar de slaapkamer van mama en papa. Hij moet zó nodig overgeven, hij proeft het al een beetje in zijn mond. Hij rent naar het grote bed. Maar... het bed is leeg! Er liggen geen hoofden op de kussens. Robin tilt het dekbed op. Niemand! Mama en papa liggen niet in bed.

Robin rent naar de trap.

'Mama!' roept hij.

En dan komt het.

Robin staat boven aan de trap en spuugt. Op de trap. Zijn spuug druipt langs de treden naar beneden. Robin huilt. Hij vindt het zó naar dat hij daar staat te spugen.

'Mama!' roept hij.

Daar is papa. Hij staat onder aan de trap.

'Maar lieverd,' zegt hij, 'wat is dit nu?'

'Ik moest spugen,' snikt Robin.

'Ik zie het,' zegt papa. 'Kom maar gauw.'

Robin loopt de trap af. Heel voorzichtig. Op zijn tenen loopt hij langs het spuug dat op de treden ligt. Papa tilt Robin op.

'Ik moet wéér!' zegt Robin.

Papa draagt Robin snel naar de wc. Ze zijn net op tijd. Robin spuugt wéér. Maar nu in de wc. Zo moet het.

Daar is mama ook. Ze neemt Robin mee naar de keuken.
Papa gaat de trap dweilen. Robin krijgt een slokje water.

'Niet doorslikken,' zegt mama. 'Alleen maar spoelen en dan
uitspugen.'

Het spoelen is moeilijk, maar het uitspugen gaat goed.

'Ik kan goed spugen, hè?' zegt Robin.

Mama lacht. Robin kan ook alweer lachen. Maar de vieze
spuugsmaak is nog niet weg. Mama maakt zijn mond schoon
met een washandje. Dan knuffelen ze even.

'Grote zoon van me,' zegt mama.

Het is fijn in de keuken. De theepot staat warm onder zijn
muts, er zijn kopjes en koekjes en er komt zachte muziek uit
de radio. Er liggen ook dobbelstenen op tafel.

'Doen jullie een spelletje?' vraagt Robin.

Mama knikt. Ze gaat zitten.

'Hoe laat is het dan?' vraagt Robin.

'Het is diep in de nacht,' zegt mama.

'Gaan jullie niet naar bed?'

'Eh... nee,' zegt mama. 'Vannacht misschien wel niet.'

Papa komt binnen. Hij heeft de trap schoongemaakt.

'Zitten jullie nog steeds op het baby'tje te wachten?' vraagt Robin.

'Eh... ja,' zegt papa.

En dan zegt mama: 'Oef!'

Ze staat op en begint heen en weer te lopen. Je kunt aan haar mond zien dat ze pijn heeft, maar haar ogen lachen. Ze gaat met haar dikke buik tegen het aanrecht staan. Papa begint over mama's rug te wrijven.

'Ja, dat is fijn,' zegt mama. 'Dank je.'

Ze zucht eens diep en gaat weer zitten.

'Weet je wat het is,' zegt papa. 'Wij denken... dat het baby'tje geboren gaat worden.'

'Nú???' schreeuwt Robin.

Hij is opeens niet ziek meer. Hij wil alweer gaan dansen.

'Rustig, rustig,' zegt papa. 'Het kómt eraan, maar het kan nog heel lang duren voor het er ook ís.'

'Je moet naar bed, lieverd,' zegt mama.

Dat wil Robin niet.

Maar het moet toch.

'Oef!!!' zegt mama.

Ze staat weer op en begint weer heen en weer te lopen door de keuken. Ze leunt weer met haar dikke buik tegen het aanrecht en papa wrijft weer over haar rug.

'Doet het pijn?' vraagt Robin.

'Een beetje,' zegt mama. 'Maar ik ben heel vrolijk, hoor. Voor onze baby heb ik wel een beetje pijn over.'

Dat snapt Robin heel goed.

'Maak je me wakker,' vraagt hij, 'als de baby echt, écht komt?'

'Nee,' zegt papa. 'Da's niet zo'n goed idee. Ik maak je wakker als de baby er ís. En nu... Hup! Naar boven jij.'

Robin doet het aanrechtkastje open en pakt de afwasbak.

'Ik zet de afwasbak naast mijn bed,' zegt hij.

'Je bent toch niet meer ziek?' vraagt papa.

'Nee,' zegt Robin, 'maar misschien wórd ik weer ziek. Dat kan.'

'Ja,' zegt papa. 'Dat kan.'

'Dat kan altijd,' zegt mama.

'En als ik weer ziek word,' zegt Robin, 'mag ik dan beneden komen?'

'Als je echt ziek bent,' zegt papa, 'dan wel natuurlijk. Maar je wordt niet meer ziek, daar geloof ik niks van.'

'Oefff!!!' zegt mama.

Papa brengt Robin snel naar boven. Hij stopt Robin snel in, geeft hem een snel kusje op z'n hoofd, en rent snel naar beneden. Snel naar mama.

Robin ligt in zijn bed. Hij hoopt dat hij weer ziek wordt. Niet erg ziek. Een klein beetje ziek. Niet echt spugen. Bijna spugen. Dan mag hij weer naar beneden. En daar, en dan...

Maar hij valt in slaap. In een diepe, gezonde slaap.

Pretoogjes

Robin wordt wakker. Hij gaapt en wrijft zijn ogen uit.

Er is iets fijns, maar wat ook weer?

Robin schuift de gordijnen open en kijkt naar buiten. Hij ziet de weilanden. De weilanden staan onder water. Ze zijn meertjes geworden. Er zwemmen eenden en zwanen en meerkoetjes. Het heeft ook zo hard geregend. En zo lang. Dagen en nachten en dagen en nachten. Maar nu is het droog.

Wat was er ook alweer zo fijn?

In de verte ligt de stad. Robin ziet de hoge huizen. Ze lijken klein als lucifers, maar Robin weet hoe hoog ze zijn. Hij is vaak in de stad geweest.

Boven de hoge huizen staat de zon. De zon is groot. Heel groot en rood. Geweldig rood.

Opeens staat papa naast Robin.

'Zie je die zon?' vraagt hij. 'Het baby'tje brengt prachtig weer mee.'

Het baby'tje!

Dát was het! Dát was zo fijn!

'Waar is het baby'tje?' vraagt Robin.

'Nog steeds in mama's buik,' zegt papa. 'Maar nu duurt het écht niet lang meer.'

'Ik ga naar mama toe,' zegt Robin.

Hij rent zijn kamertje uit.

'Hé hé! Ho ho!' roept papa. 'Stop!'

Robin staat stil.

'Ik ga je aankleden,' zegt papa, 'en dan breng ik je naar oom Klaas en tante Betty.'

Oom Klaas en tante Betty wonen aan de overkant. Het is daar altijd fijn, maar nu wil Robin er niet heen. Hij wil naar mama toe en kijken hoe het baby'tje geboren wordt.

Maar dat vindt papa niet goed.

Papa wast Robin en kleedt hem aan. Dan lopen ze samen de trap af.

'Waar is mama?' vraagt Robin.

'In de kamer beneden,' zegt papa. 'Daar staat nu een groot bed en daar ligt mama in.'

De deur van de kamer is dicht. In de kamer wordt gepraat. Robin hoort de stem van mama en twee vreemde stemmen.

'Mevrouw Vlieger is er al,' zegt papa.

Robin weet wie mevrouw Vlieger is. Zij is de vroedvrouw uit de stad. Die altijd zo hard op mama's buik duwt.

'En er is ook een meisje,' vertelt papa, 'dat blijft een paar dagen bij ons. Om mama te helpen als het baby'tje er is. Ze heet Patricia.'

Robin gaat vlak voor de deur staan.

'Dag mama!' roept hij.

Hij moet bijna huilen.

Maar hij doet het niet.

'Dag lieve schat van me!' roept de stem van mama.

Robin en papa gaan naar buiten. Ze steken de weg over. Midden op de weg blijft Robin staan. Hij kijkt naar zijn huis. De gordijnen zijn dicht. Dan draait hij zich om en kijkt naar het huis van oom Klaas en tante Betty. De gordijnen zijn open. Oom Klaas staat achter het raam. Hij steekt zijn hand op.

Robin en papa gaan naar binnen.

'Zo meester,' zegt oom Klaas, 'gaat het beginnen?'

Papa is schoolmeester. Dat weet iedereen. Daarom zegt iedereen 'meester' tegen hem. Alleen Robin zegt altijd 'papa' tegen papa. Alléén Robin...? Nu nog wel. Straks niet meer.

'Moet ik niet naar school?' vraagt Robin.

'Vandaag niet,' zegt papa.

'Moet jij niet naar school?' vraagt Robin.

'Ook niet,' zegt papa. 'Ik heb opgebeld.'

'Nou,' zegt oom Klaas, 'en ik hoef ook niet naar school. Al dertig jaar niet meer. Dat kan een gezellige dag worden.'

Hij loopt naar een kast en pakt twee kleine glaasjes en een grote fles.

'Wil je een glaasje jenever, meester?'

'Ben je helemaal gek!' zegt papa. 'Ik ga gauw weer naar huis. Ik wil erbij zijn als het baby'tje geboren wordt.'

'Ik ook,' zegt Robin. 'Ik wil er ook bij zijn.'

'Nee, dat kan echt niet, Robin,' zegt papa.

Dat wist Robin al.

'Vroeger,' vertelt oom Klaas, 'vroeger mochten de vaders er ook niet bij zijn als er een kindje werd geboren. En weet je wat die vaders dan deden, baas?'

Oom Klaas noemt Robin altijd 'baas'. Niemand weet waarom. Baas Robin schudt zijn hoofd.

'Dan gingen die vaders,' vertelt oom Klaas, 'bij hun buurman aan de overkant gezellig een glaasje jenever drinken. En dikke sigaren roken. Dát deden die vaders.'

Papa lacht.

'Wat verschrikkelijk ongezellig,' zegt hij.

'Gezellig juist,' zegt oom Klaas. 'Wil je ook geen dikke sigaar, meester?'

'Nee, ook niet,' zegt papa.

'Wat jammer nou toch,' zegt oom Klaas.

Papa geeft Robin een zoen en rent de deur uit. Robin gaat voor het raam staan. Papa rent de weg over. Robin zwaait naar hem. Gelukkig, papa kijkt om en zwaait terug. Dan gaat hij het huis in.

'Hallo Robin.'

Daar is tante Betty. Ze pakt de kleine glaasjes en de grote fles en zet ze terug in de kast.

'Jammer hoor,' zegt oom Klaas.

Hij steekt een sigaar op.

'Het nieuwe kindje brengt mooi weer mee,' zegt tante Betty.

Dat heeft papa ook al gezegd, denkt Robin. Hij kijkt naar de lucht. De lucht is blauw en schoon.

'Dan wordt het vast een mooi kind,' zegt oom Klaas.

Aan de kale takken van de bomen voor het huis hangen regendruppels. De zon schijnt en de druppels glimmen als pretoogjes. Duizenden, duizenden pretoogjes.

Herfst

Robin staat voor het raam. Hij ziet de zon die in de regen-druppels schijnt. De druppels die glimmen als pretoogjes. Precies zulke pretoogjes als de oogjes van... Knor!!!

'Knor!' roept Robin. 'Ik ben Knor vergeten!'

Hij rent naar de deur. De vloer in het huis van oom Klaas en tante Betty loopt schuin. Het is moeilijk om van de deur naar het raam te lopen. Want dan moet je schuin omhoog. Maar van het raam naar de deur kun je vreselijk hard ren-nen. Dan ga je schuin naar beneden. Robin rent vreselijk hard naar de deur.

Tante Betty vangt hem op.

'Niet naar huis gaan, lieve jongen,' zegt ze. 'Laat mama maar met rust.'

'Maar,' zegt Robin, 'Knor wil ook hier zijn.'

'Ik heb iets anders voor je,' zegt tante Betty.

Ze loopt de trap op naar boven en komt weer naar bene-den met een pop.

'Dit is een oude pop,' zegt tante Betty.

Dat ziet Robin. Het is een héél erg oude pop. Hij kan het ruiken ook.

'Met deze pop,' zegt tante Betty, 'heb ik zelf nog gespeeld, toen ik een meisje was. Lang geleden. Vroeger.'

Tante Betty kijkt Robin aan.

'Weet jij al wat vroeger is?' vraagt ze.

'Ja hoor,' zegt Robin. 'Toen waren er ridders en toen dron-ken vaders nog een glas jenever aan de overkant.'

Daar moet oom Klaas geweldig om lachen. Hij lacht zó

hard, dat hij hoesten moet. De blauwe rook van zijn sigaar spuit uit zijn mond en uit zijn neus. Tante Betty schudt haar hoofd.

'Zo'n jong toch,' zegt ze. 'Die Robin.'

Ze geeft Robin de oude pop.

'Je moet er heel voorzichtig mee spelen, hoor,' zegt ze. 'Ze kan kapotgaan. Zo oud is ze.'

Robin gaat zitten en legt de oude pop op zijn schoot. De oude pop is geen lieve pop. Ze heeft een wit gezicht en harde vlechten. Ze heeft stille ogen. Geen pretoogjes zoals Knor. Robin ziet het heel goed. Knor is veel liever.

Maar Knor is aan de overkant. Bij mama en papa. Daar staat nu een bed in de kamer. Daar wordt straks een baby'tje geboren. Knor is erbij. Knor wel. Knor is een bofkont.

'En maar wachten,' zegt oom Klaas.

Hij zit in een stoel aan het raam. Hij rookt zijn sigaar en kijkt naar de overkant.

'En maar wachten,' zegt hij.

'Kom,' zegt tante Betty. 'Wij gaan boodschappen doen, Robin. We gaan gewoon naar de winkel en onderweg bedenken we wel wat we gaan kopen. De pop mag ook mee. Maar dan moet je haar wel héél goed vasthouden.'

Robin en tante Betty gaan naar buiten. Tante Betty pakt haar fiets en zet Robin achterop. Op de bagagedrager. Robin houdt de oude pop stevig in zijn armen. Tante Betty gaat op het zadel zitten en begint te fietsen. Ze rijden vlak langs Robins huis. De gordijnen zijn nog dicht. En achter die gordijnen...

Opeens springt tante Betty van haar fiets.

'Het zal toch niet waar zijn!' moppert ze.

Ze staan voor het huis van Trien.

Trien is een oude vrouw. Ze is ouder dan alle andere mensen in het dorp. Ze is veel ouder dan de oude pop van tante Betty. Haar gezicht is nog witter dan dat van de pop, haar vlechten zijn nog stijver. Ze heeft altijd een zwarte jurk aan. Ze woont alleen in haar huis. Ze komt nooit buiten.

Tante Betty kijkt naar het huis.

'Het is ook ieder jaar hetzelfde!' moppert ze.

Robin begrijpt niet waarom tante Betty zo moppert. Hij kijkt ook naar het huis. Het huis stáát daar gewoon.

'Trien! Kom naar beneden!' schreeuwt tante Betty.

Robin kijkt omhoog. En daar, in de smalle dakgoot van het huis, hoog boven de grond, staat Trien. Ze heeft een bezem in haar hand en veegt de dakgoot schoon. Natte bruine bladeren vallen naar beneden en kletsen op de steentjes van het pad.

'Kom naar beneden!' schreeuwt tante Betty weer.

Nu zwaait Trien.

'Het is herfst!' roept ze.

'Ja!' schreeuwt tante Betty. 'Dat weet mijn neus ook. Kom naar beneden!'

'In de herfst komt álles naar beneden!' roept Trien. 'Vanzelf!'

Een van haar vlechten is losgegaan. Het lange witte haar wappert los in de wind.

Misschien, denkt Robin, stapt Trien straks op haar bezem en vliegt ze een rondje om het huis.

'Blaadjes komen naar beneden,' roept Trien, 'en kastanjes komen naar beneden, en eikels komen naar beneden, en ouwe vrouwtjes komen ook naar beneden... Ik kom heus wel, ik moet alleen hier nog even de hoek om.'

Ze zwaait nog even en gaat dan weer verder met haar werk. Robin zwaait terug, maar Trien ziet het al niet meer.

'Het is ook ieder jaar hetzelfde,' moppert tante Betty. 'Iedere herfst...'

Ze stapt op haar fiets.

'Nou ja,' zegt ze tegen Robin, 'Trien is er tweeënnegentig mee geworden. Het zal wel weer goed aflopen.'

Ze begint te trappen.

'Houd je de pop goed vast?' vraagt tante Betty.

Robin houdt de oude pop goed vast.

Zo rijden ze het dorp in.

45

Pop

De zon schijnt, maar de weg is nog nat. Overal liggen plassen. Tante Betty rijdt voorzichtig om de plassen heen. Ze
stuurt naar links, en dan naar rechts. En weer naar links, en
weer naar rechts. Zo maakt ze mooie bochten. Het is niet
druk op de weg, dus het is niet gevaarlijk.

Robin houdt de oude pop stevig vast.

Opeens klinkt er getoeter. Een auto! Achter ze! Hij toetert hard en lang. Tante Betty stuurt naar rechts. Ze gaat aan
de kant van de weg rijden. Precies zoals het moet. Maar de
auto toetert weer. Nog harder, nog langer.

'Wel potverdubbe!' zegt tante Betty.

Nu komt de auto naast ze rijden. Water spat uit de plassen
omhoog. De schoenen van Robin worden nat.

Robin kijkt naar de auto. Het is de Mercedes Benz! De auto van oom Klaas! En oom Klaas zit er zelf in! Hij lacht, en hij rookt zijn sigaar, en hij stuurt, en hij toetert nóg een keer, en hij zwaait... Oom Klaas kan álles tegelijk.

Tante Betty zwaait terug. Haar hele fiets zwaait mee. De fiets slingert heen en weer als een schip op hoge golven. Robin valt er bijna af! Hij pakt de jas van tante Betty stevig vast en... de pop valt uit zijn handen. Op de weg.

De Mercedes Benz gaat harder rijden en verdwijnt in de verte.

'Dat was oom Klaas,' zegt tante Betty. 'Wel potverdubbe. Wat een woesteling.'

Ze lacht.

Robin zegt niks. Hij houdt zich stevig vast aan de jas van tante Betty en kijkt voorzichtig achterom. Hij ziet de pop nergens meer. Hoe kan dat nu? De hele weg is leeg.

'Tante Betty,' zegt Robin.

'Wat is er, jong?'

Maar Robin durft niet te zeggen dat de pop gevallen is. Misschien is de pop wel stuk! Ze is zo oud! Wat zal tante Betty boos zijn!

'Wat wil je zeggen, Robin?' vraagt tante Betty.

'Dat was oom Klaas, hè?' zegt Robin.

'Ja,' zegt tante Betty. 'Dat was oom Klaas. Zag je hem? Wat een woesteling.' Ze lacht nog steeds.

Ze komen bij de winkel van Jan Contact. Jan Contact verkoopt lampen en stekkers. En radio's. Tante Betty stapt van haar fiets. Ze tilt Robin van de bagagedrager af...

Ze ziet het meteen.

'Waar is de pop?'

'De pop is gevallen,' zegt Robin.

'Maar waar dan?'

'Toen oom Klaas zo hard toeterde,' zegt Robin, 'en toen jij zo slingerde.'

'Maar waarom heb je dat dan niet gezegd?'

'Ik durfde niet,' zegt Robin.

'Waarom niet?'

'Omdat jij dan boos wordt.'

'Ja, dat is waar,' zegt tante Betty. 'Ik ben ook boos. Behoorlijk boos. Je bent een domme jongen.'

'De pop is weg,' zegt Robin.

'Ja, dat weet mijn neus ook,' zegt tante Betty. Ze snapt niet wat Robin bedoelt.

'De weg is leeg,' zegt Robin. 'De pop ligt ook niet op de weg.'

Dát bedoelt hij.

'Flauwekul!' zegt tante Betty.

Ze is echt boos. Ze hijst Robin weer op de bagagedrager. Maar ze gaat niet meer fietsen. Ze loopt en duwt de fiets terug naar huis. Ze kijkt naar beneden, naar de weg en naar

de plassen op de weg. Ze loopt heel langzaam, maar ze ziet
de pop niet.

'Waar heb je haar laten vallen?' vraagt tante Betty.

Ze vraagt het niet één keer, niet twee keer, maar wel drie keer. En dan nóg een keer:

'Wáár heb je haar laten vallen, Robin?'

Robin weet het niet meer. Hij weet het echt niet meer. Hij wil naar mama toe. Naar Knor. En naar papa. Hij kijkt in de verte. Hij kijkt langs het huis van Pieter, hij kijkt langs het huis van de burgemeester en langs het huis van Trien, en dáár...

Er staat iemand midden op de weg!

Het is papa!

Papa staat te zwaaien. Midden op de weg. Heel woest. Met allebei zijn lange armen.

'Daar is papa!' schreeuwt Robin. 'Kijk dan, tante Betty, daar is papa... Wat een woesteling!'

Tante Betty springt op haar fiets en rijdt zo snel ze kan naar papa toe. Papa ziet het en begint midden op de weg te dansen. Midden op de weg en midden in de plassen. Het is een grappig gezicht. Het water spat onder zijn voeten vandaan. Papa zingt ook een lied. Robin kan het niet goed verstaan.

'...kus,' zingt papa.

'...zus,' zingt papa.

'...hand,' zingt papa.

'...land,' zingt papa.

De rest kan Robin niet verstaan. Tante Betty remt vlak voor papa's dansende voeten. Papa plukt Robin van de bagagedrager en danst verder, met Robin in zijn armen. Hij danst in het rond en Robin zwiert door de lucht. Papa zingt zijn lied nog een keer. Nu kan Robin het wel verstaan. Papa zingt:

'Geef me een hand, geef me een kus.

Robin heeft een kleine zus.

Geef me een kus, geef me een hand.

Onze Suze is in het land...'

Robin heeft papa nog nooit zó vrolijk gezien!

'Is het waar, meester?' vraagt tante Betty. 'Is het een meisje?'

'Nou en of!' brult papa.

Tante Betty geeft papa twee klinkende zoenen op zijn wangen. Ze grijpt Robin vast en Robin krijgt wel vier zoenen!

'Vergeet die ouwe pop maar, lieverd,' zegt tante Betty. 'Je hebt nu een nieuw zusje en dat is veel belangrijker. Ga maar gauw kijken...'

Suze!!!

Robin zit op de sterke arm van papa. Papa loopt de tuin in. Nee, hij loopt niet, hij danst nog steeds. Papa dánst naar het huis en Robin danst mee. Hij moet wel, want papa houdt hem stevig vast.

De gordijnen in het huis zijn nog dicht. Dat is fijn. Nu mag Robin ook achter de gordijnen.

Papa draagt Robin het huis in. Hij draagt Robin door de gang en doet de deur van de huiskamer open. Hij zet Robin op de drempel. Robin vindt het een beetje griezelig. Alles is ook zo anders, zo gek.

In de kamer zijn de lampen aan. Tegen de boekenkast in de hoek staat een wit bed. Het is heel groot. Heel hoog. Heel wit. En in dat bed... ligt mama. Ze eet een beschuitje.

Ze eet gewoon een beschuitje!

'Dag, grote broer,' zegt mama.

'Dag mama,' zegt Robin zacht.

Hij wil naar mama toe. Heel voorzichtig. Op z'n tenen. Maar dan... ziet hij het wiegje! Het wiegje staat naast het grote hoge witte bed. Het is een wiegje van bruin hout, met een puntdak van blauwe gordijntjes.

Robin staat nog steeds op de drempel. Hij wil naar mama toe. En hij wil het baby'tje zien. Het baby'tje en mama. Allebei. Maar hij staat nog steeds op de drempel.

Papa aait Robins haar.

'Ga maar kijken, lieverd,' zegt hij.

'Samen?' vraagt Robin.

'Samen,' zegt papa.

Papa geeft Robin een hand en samen lopen ze de kamer in. Naar mama in het witte bed. Mama heeft haar mooie nacht-hemd aan. Papa geeft mama een dikke zoen.

Robin laat papa's hand los. Hij schuift het gordijntje van het wiegje opzij. Het wiegje is leeg! Waar is het baby'tje?   53

'Kijk es,' zegt mama. Ze tilt een puntje van de deken op.

Dicht tegen mama aan ligt een opgerolde handdoek. En er bewéégt iets in de handdoek! Mama tilt een puntje van de handdoek op, en... Robin ziet een piepklein hoofdje. Het hoofdje gaat een beetje heen en weer. Robin ziet een mondje en een neusje en twee oogjes. De oogjes zijn dicht.

'Dit is Suze,' zegt mama.

Robin ziet dunne haartjes op het hoofdje. Ze zitten aan elkaar geplakt met donkerrood spul. Net als de haren van mama, toen de teil op haar hoofd was gevallen en de dokter kwam.

'Wat is dat?' vraagt Robin.

'Dat is nog een beetje bloed,' zegt mama.

'Dat gaat er straks in bad wel af,' zegt papa.

'Geef je zusje maar een kusje,' zegt mama.

Maar dat wil Robin niet. Hij ziet niet één schoon plekje op het hoofdje.

'Aai haar dan maar even,' zegt mama.

Dat durft Robin wel.

Hij aait het baby'tje.

Het is het kleinste baby'tje dat Robin ooit heeft gezien. Robin wist niet dat er zúlke kleine baby'tjes bestonden.

'Suze is geboren in de boekenkast,' zegt papa.

'Ik ga Knor pakken,' zegt Robin.

Hij rent de kamer uit. Hij rent de trap op. Hij rent zijn kamertje in. Daar ligt Knor. Op het bed. Robin grijpt Knor stevig vast en rent zijn kamertje weer uit, de trap af, de huiskamer weer in.

Papa staat nog bij het grote hoge witte bed. Hij kijkt naar mama en het baby'tje. Mama heeft haar mooie nachthemd opengemaakt. Het baby'tje drinkt uit een van mama's borsten. Het maakt smakkende en knorrende geluidjes. Af en

toe floept mama's tepel uit het mondje van de baby. Dan duwt mama de tepel met haar pink terug in het mondje.

'Dit is Knor,' zegt Robin.

De baby drinkt smakkend door.

'Wat een woesteling!' zegt Robin.

Papa lacht.

En opeens... geeft Knor de baby een kus! Gewoon op haar koppie. Op al dat bloed!

'We moeten oma en opa opbellen,' zegt papa. 'Zij weten nog helemaal niet dat jij een zusje hebt.'

'Mag ik het zeggen?' vraagt Robin.

'Natuurlijk,' zegt papa.

Papa draait het nummer en Robin luistert naar de geluiden in de telefoon. Túúúút, hoort hij, túúúút, túúút... Dan hoort hij de stem van opa. Opa in de grote stad! Robin is opeens heel verlegen.

'Ik heb een zusje,' fluistert hij.

'Ben jij dat, Robin?' vraagt opa.

Robin knikt, maar dat kan opa niet zien. Hij moet harder praten.

'Ik heb een zusje,' zegt hij.

'Maar lieve jongen,' zegt opa, 'dát is fijn!'

Robin knikt weer.

'Hoe heet je zusje?' vraagt opa.

Dat weet Robin niet. Hij weet het écht niet. Hij is het vergeten.

'Hoe heet het baby'tje ook alweer?' vraagt hij aan papa.

'Suze,' zegt papa.

'Suze,' zegt Robin.

'Maar dat is een mooie naam!' zegt opa. 'We komen morgen meteen naar haar kijken, oma en ik... En, Robin, luister es, hoeveel teentjes heeft ze?'

Dat weet Robin óók niet! Hij legt de hoorn naast de telefoon en loopt naar het grote hoge witte bed.

'Hoeveel teentjes heeft Suze?' vraagt hij.

Het baby'tje ligt nog steeds bij mama te drinken.

'Tel ze maar,' zegt papa.

57

Papa tilt een puntje van de handdoek op. Robin ziet twee voetjes. Babyvoetjes. Met nageltjes. Babynageltjes. De kleinste nageltjes van de wereld.

Samen met papa telt Robin de teentjes. Het zijn er tien.

'En nu de vingertjes,' zegt papa.

Samen tellen ze de vingertjes van de baby. De vingertjes hebben ook nageltjes. Op ieder vingertje één nageltje. Tien nageltjes op tien vingertjes.

'Tien is goed,' zegt papa. 'Tien is héél goed.'

'Hoeveel teentjes heb ik?' vraagt Robin.

'Ook tien,' zegt papa.

'En hoeveel vingers?' vraagt Robin.

'Tien,' zegt papa. 'Tien is prachtig.'

Robin loopt naar de telefoon.

'Tien teentjes, opa,' zegt hij. 'En tien vingertjes.'

'Dat is fijn,' zegt opa. 'We komen morgen naar je zusje kij-ken, lieve jongen... En wil jij Suze nu een kusje geven van oma en van mij? Een héél lief kusje?'

Robin knikt.

Opa legt de telefoon neer. Robin ook.

Robin loopt naar het grote hoge witte bed. Suze ligt nog steeds te drinken.

'Suze,' zegt Robin. 'Dit is van opa en oma.' Hij geeft Suze een kusje. Op haar bolletje. Op al dat bloed.

'En, Suze,' zegt Robin, 'deze is van mij.' Hij geeft haar nóg een kusje. Zó zacht. Zacht als het veertje van een mus.

'Ik,' zegt Robin, 'ik ben Robin... Je grote broer.'

Plas

Robin en Knor zitten onder mama's bed. Het hoge witte bed dat in de kamer staat. Robin heeft zijn trein gehaald en legt de rails aan elkaar. Het is fijn onder het bed. Het is er een beetje donker. Niet erg. Precies goed. Soms draait mama zich om. Dan beweegt het bed boven Robins hoofd.

Mama babbelt met het grote meisje Patricia. Patricia heeft een witte jas aan en ze heeft een bord vol beschuitjes gemaakt. Beschuitjes met keiharde roze en witte korreltjes. Geboortemuisjes zijn dat. Af en toe steekt Patricia het bord onder het bed. Dan mag Robin een beschuitje pakken. Dat lust hij wel.

Robin zet de locomotief op de rails. Opeens schrikt hij. Daar is mama's hoofd. Onder het bed! Mama lacht. Haar hoofd hangt ondersteboven en haar lange haar sliert over de grond.

'Zit je daar lekker?' vraagt mama.

Robin knikt.

'Suze heeft een cadeautje voor je meegebracht,' zegt mama.

Robin vergeet steeds dat het baby'tje Suze heet.

Daar komt mama's hand ook naar beneden. Met het cadeautje. Robin pakt het aan en scheurt het papier eraf. Hij ziet een roze popje in een roze badje. Robin weet niet of hij er blij mee is. Hij houdt niet zo van popjes. Hij houdt meer van treinen. En nog veel meer van ridders.

'Dank je wel,' zegt hij.

'Vind je het mooi?' vraagt mama.

Robin knikt. Mama's hoofd gaat weer naar boven. Robin verstopt het badje en het popje onder het wiegje van Suze.

Papa komt de kamer binnen.

'Opzij! Opzij!' roept hij.

Hij draagt een wit bad vol water. Het is heel zwaar. Dat kun je zien aan papa's gezicht. Papa zet het bad op tafel. Er klotst water over de rand.

'Oef...' zegt papa.

'Zal ik Suze in bad doen?' vraagt Patricia.

'Geen sprake van!' zegt papa. 'Ik ben de trotse vader. Ik badder mijn kleine meid zelf!'

Papa loopt naar het hoge witte bed. Robin ziet alleen zijn pantoffels en de pijpen van zijn broek. Hij kruipt onder het bed vandaan. Hij wil alles zien.

Papa tilt het baby'tje heel voorzichtig op. Het baby'tje heeft nog steeds een grote handdoek om. Papa houdt zijn ene hand onder het kontje en zijn andere hand onder het hoofdje. Hij legt Suze op de bank. Hij slaat de handdoek open.

Daar ligt de blote baby.

De blote baby niest. Drie keer. Heel hard.

'Hoor je dat, Robin?' vraagt papa. 'Hoor je dat? Hoor je hoe goed ze al niezen kan...?'

Robin knikt. Hij heeft het gehoord.

'Wat is dát?' vraagt hij.

In de handdoek ligt een lange zwarte sliert. Het lijkt op klei. Zwarte klei. Het lijkt op drop. Vieze drop.

'Ze heeft gepoept!' juicht papa. 'Zie je dat, Robin? Zie je dat? Zie je hoe goed ze al poepen kan?'

Robin knikt. Hij had het al gezien.

Papa begint te zingen:

'Klein Suzanneke,

poep es in m'n panneke.

Heb je weer zo'n haast?
Poep je er weer naast?
O, wat een vies huis,
poep op het fornuis...!'
Dat vindt Robin een leuk liedje.
'Heb je voor mij ook een liedje gezongen?' vraagt hij.
'Jazeker wel,' zegt papa. 'Hetzelfde liedje.'
Hij begint weer te zingen:
'Robin-manneke,
poep es in m'n panneke.
Heb je weer zo'n haast?
Poep je er weer naast?
O, wat een vies huis,
poep op het fornuis...!'
Zo vindt Robin het liedje nóg leuker.

'Papa,' vraagt hij, 'kan een meisje ook een ridder zijn?'

'Dat geloof ik wel,' zegt papa. 'Ja hoor, dat kan. Meisjes kunnen alles net zo goed als jongens.'

En dan... doet Suze een plas. Een grote plas. Op papa's hand. En op papa's horloge. Zijn dure horloge.

Robin schrikt ervan.

Maar papa niet. Papa begint verschrikkelijk hard te lachen.

'Zag je dat, Robin? Zag je hoe goed Suze al plassen kan? Net zo goed als jij! Wat een geweldige plas!'

Papa droogt zijn hand en zijn horloge af aan de handdoek. Hij geeft het baby'tje een kus op haar koppie.

'Wat kan ze al veel, hè?' zegt papa. 'Onze kleine piesmeid. Ze kan al niezen en poepen en plassen.'

Hij geeft het baby'tje nog een kus.

'Suze,' zegt papa, 'we zijn zéér trots op je.'

'Ze heeft tien teentjes,' zegt Robin.

'Zeker weten,' zegt papa.

'En tien vingertjes,' zegt Robin.

'Nou en of,' zegt papa.

'Ik kan al tot tien tellen,' zegt Robin.

Papa geeft Robin een kus op zijn hoofd.

'Man,' zegt hij. 'Grote zoon. Ik ben óók trots op jou.'

Robin knikt.

Zo is het goed.

Hij kruipt onder het wiegje en pakt het roze popje en het roze badje.

Bad

Robin en papa staan bij de tafel in de kamer. Op de tafel staan een groot wit bad en een klein roze badje. Er zit nu ook water in het roze badje. Op de bank liggen twee baby's. Hun oogjes zijn nog dicht. De baby's moeten in bad. Alle twee.

Papa stroopt zijn mouw op en steekt zijn blote elleboog in het water.

'Mmm, lekker water,' zegt hij.

Robin stroopt zijn mouw op en steekt zijn blote elleboog in het water.

'Mmm, lekker water,' zegt hij.

Dan pakken de mannen de baby's van de bank. Baby Suze begint te huilen.

'Hoor je dat, papa?' vraagt Robin. 'Hoe goed ze al kan huilen? Mijn baby huilt ook.'

'Het is geweldig,' zegt papa.

'Ik ben trots op je,' zegt Robin tegen zijn baby. 'Ik ben zéér trots op je, kleine piesmeid.'

De mannen doen de baby's voorzichtig in het bad. Heel voorzichtig. Voorzichtiger kan bijna niet. Toch schrikken de baby's van het water. Ze huilen nóg harder.

Maar dan, opeens... vinden ze het fijn! Ze worden heel rustig, heel stil! Ze dobberen kalm in het lauwe badje.

'Kijk,' zegt papa.

Hij laat Robin zien hoe hij de baby vasthoudt. Met zijn arm onder het hoofdje en zijn hand onder het armpje en zijn vingers in de oksel van de baby. Met zijn andere hand gooit papa

steeds wat water over het blote lijfje, en zachtjes poetst hij alle plekjes bloed weg. Robin doet het precies zo.

En hij begint te zingen:

'De baby gaat in bad.

De baby wordt nat.'

'Dat is een mooi liedje!' zegt papa. 'Van wie heb je dat geleerd?'

'Van niemand,' zegt Robin, en hij zingt het nog een keer:

'De baby gaat in bad.

De baby wordt nat.'

'Zing het nog eens,' zegt papa. 'En dan moet je eens naar Suze kijken. Moet je kijken wat ze doet.'

Robin zingt zijn liedje voor de derde keer:

'De baby gaat in bad.

De baby wordt nat.'

En dan ziet hij het! Als hij zijn liedje zingt, draait de baby
haar hoofdje opzij. Haar neusje, haar mondje, haar kleine
oogjes die nog dicht zijn... Alles draait ze naar Robin toe!
Naar Robin, haar grote broer, die zo mooi zingen kan.

'De baby gaat in bad.

De baby wordt nat,' zingt Robin.

En dan... doet de baby haar oogjes open. Een heel klein
beetje maar. Een piepklein beetje. Haar oogjes staan op een
kiertje.

'Papa!' roept Robin. 'Suze heeft ook blauwe ogen. Net als ik!'
Papa knikt blij.

'Dat komt doordat ze jouw zusje is,' zegt hij.

Robin vergeet zijn eigen baby helemaal. Hij kijkt naar Suze
in het witte bad, en Suze kijkt naar Robin. Haar oogjes staan
stralend blauw tussen de rimpeltjes in haar gezicht.

Papa wast de handjes van Suze.

'Suze,' zegt hij, 'je handschoenen zijn te groot.'

De handjes van Suze zijn blauw en vol rimpels en plooitjes. Haar velletje is nog een beetje te groot voor de vingertjes die erin zitten. Papa heeft gelijk. Het lijkt of Suze te grote handschoenen aanheeft.

Patricia legt twee schone handdoeken op de bank. Robin en papa tillen hun baby's uit bad en leggen ze op de handdoeken. Voorzichtig drogen ze de baby's af. Heel voorzichtig. Voorzichtiger kan bijna niet. Toch beginnen de baby's te huilen.

'Het is toch wat,' zegt papa. 'Eerst willen ze niet in het bad, en nu willen ze niet uit het bad. Malle baby's.'

'Piesmeiden,' zegt Robin.

De mannen doen de handdoeken lekker warm om de piesmeiden heen. De malle baby's huilen niet meer. Het is stil in de kamer.

'Ga eens op de bank zitten,' zegt papa tegen Robin. 'Met je rug recht tegen de leuning.'

'Waarom?' vraagt Robin.

'Doe het maar,' zegt papa.

Robin gaat op de bank zitten. Zijn rug tegen de leuning, zijn benen recht vooruit.

'Armen wijd,' zegt papa.

Robin doet zijn armen wijd en papa legt Suze zachtjes op Robins schoot. 'Armen dicht,' zegt papa.

Robin doet zijn armen dicht. Zo heeft hij Suze stevig vast. Ze ligt heel stil op zijn schoot. Robin durft zelf ook niet te bewegen. Hij vindt het een beetje eng.

'Goed vasthouden,' zegt papa.

Hij pakt zijn fototoestel. Hij gaat vlak voor de bank op zijn knieën zitten en mikt op Robin en Suze. Meestal wil Robin niet op de foto, maar vandaag wel.

'Papa,' zegt Robin, 'Knor wil ook op de foto.'

Papa zet Knor naast Robin op de bank. Hij gaat weer op zijn knieën zitten. Robin verstopt zich een beetje achter Suze. Haar kleine haartjes kriebelen in zijn neus. De haartjes ruiken verschrikkelijk lekker. Ze ruiken nog fijner dan pas gemaaid gras.

KLIK!

De foto is genomen.

TRING!

De bel. Oom Klaas en tante Betty komen binnen.

TRING!

Daar heb je de mama en papa van Pieter.

TRING!

Nu zijn het de meesters en juffen van school.

Het wordt geweldig druk in huis. Soms moet Robin kusjes geven, of een hand, maar meestal niet. Gelukkig maar.

Hij zit veilig onder mama's hoge witte bed. Hij leert Knor hoe je een baby'tje in bad moet doen.

Koning

Alle mensen zijn weer weg. Patricia heeft ze weggestuurd.

'Hup!' zei ze, en ze klapte in haar handen. 'Iedereen de deur uit! Suze en haar mama moeten nu gaan slapen.'

De mensen stonden op en gingen weg, het huis uit. Robin en papa moesten ook de kamer uit.

Ze zitten samen in de keuken. Ze eten witte bonen in tomatensaus, met een gebakken eitje.

'Moeten we geen bonen voor mama bewaren?' vraagt Robin.

'Welnee!' zegt papa. 'Mama is zó blij met kleine Suze, ze wil alleen beschuitjes met geboortemuisjes.'

Papa staat op.

'Kom,' zegt hij, 'we gaan een stukje fietsen. Even een frisse neus halen.'

Ze trekken hun jas aan.

'En onderweg,' zegt papa, 'zeggen we tegen alle mensen die we zien dat jij een zusje hebt. We vertellen het aan de hele wereld!'

Ze fietsen door het dorp. Maar het is weer gaan regenen, er is geen mens op straat. Ze kunnen het grote nieuws aan niemand vertellen. Daarom begint papa weer keihard te zingen:

'Geef me een hand, geef me een kus.

Robin heeft een kleine zus.

Geef me een kus, geef me een hand.

Onze Suze is in het land.'

Gelukkig, voor de winkel van Jan Contact staat de moeder van Nellie. Nellie zit bij Robin in de klas. Nu kunnen ze het

toch aan iemand vertellen. Maar dat hoeft niet meer. De moeder van Nellie heeft het al geraden.

'Meester,' zegt ze, 'wat kijk je blij. Is het geboren?'

'Nou en of!' zegt papa.

'En,' vraagt de moeder van Nellie, 'wat is het geworden?'

'Het is een meisje,' zegt papa.

'Goh,' zegt de moeder van Nellie. 'Een rijkeluiswens! Eerst een jongetje, dan een meisje. Zo heet dat toch, meester, als je eerst een jongetje krijgt en dan een meisje?'

'Ja,' zegt papa, 'dat heet een rijkeluiswens. Maar in België noemen ze het een koningswens. Dat vind ik veel mooier.'

'Ja, dat vind ik ook mooier,' zegt de moeder van Nellie.

Robin vindt het ook mooier.

'Want,' zegt papa, 'ik voel me de koning te rijk. Ik heb nu een prins en een prinsesje.'

Opeens begint het vreselijk hard te regenen. De moeder van Nellie geeft papa een hand en aait Robin nog even over zijn hoofd. Dan stapt ze op haar fiets en rijdt snel weg.

'Wij gaan er ook vandoor,' zegt papa.

Hij gaat op de trappers staan en buigt zich over het stuur. 'Hou je vast!' roept hij.

Daar gaan ze. Ze racen door het dorp. Naar huis. De koude regen slaat in hun gezicht, maar papa zingt nog steeds. Robin vindt de regen ook niet naar. Zo krijgen ze tenminste écht een frisse neus.

In de verte ziet Robin twee jongens lopen. Twee grote jongens van school. Ze zitten al in de zesde.

'Hé!' roept Robin. 'Ik heb een kleine zus!'

De jongens horen hem niet. Ze praten en lachen en duwen elkaar, ze stampen door de plassen.

'Hé!' roept Robin. 'Hé jongens!'

Maar de jongens horen hem écht niet.

Robin wil zó graag vertellen dat hij een zusje heeft. Een klein zusje dat Suze heet. Hij is zo trots! Hij wil zó graag zeggen dat hij nu een grote broer is. Hij voelt zich heel groot en stoer. Hij wil naar de jongens toe. Om ze alles te vertellen...

Hij springt van de fiets af.

Robin springt goed. Hij komt op zijn voeten terecht, maar toch valt hij. Hij valt voorover. Hij schaaft zijn knieën en zijn handen en zijn neus. Robin schreeuwt het uit van pijn!

Papa springt van zijn fiets. De fiets valt om. Zomaar midden op straat. Papa raapt hem niet op. Papa rent naar Robin toe. De grote jongens komen ook aanhollen. Ze buigen zich met z'n drieën over Robin heen.

'Je moet je toch goed vásthouden!' zegt papa.

'Hij sprong zelf, meester,' zeggen de jongens.

'Maar waaróm dan?' vraagt papa.

72   Robin kan niks zeggen, er zitten zo veel snikken in zijn keel.

'Rustig nou maar,' zegt papa. 'Rustig, rustig... Waar doet het pijn?'

Robin laat zijn handen zien. Hij wil niet huilen, maar in zijn ogen prikken de tranen. Hij houdt zijn ogen en zijn mond stijf dicht. Dat is het beste.

'Je bent dapper,' zegt papa. 'Je bent een dappere ridder.'

Dat moet papa niet zeggen! Dat is een geheim. Een geheim van Robin en Knor. Alleen mama en papa mogen weten dat Robin en Knor ridders zijn. En Suze...

Papa aait Robin over zijn hoofd.

'Dappere Validon van me,' zegt hij.

De naam Validon mag hij helemáál niet zeggen!

'Dat mag je niet zeggen,' fluistert Robin.

'Sorry,' fluistert papa.

Papa wil Robin een kus geven, maar Robin draait zijn hoofd
weg. Hij is boos op papa. Hij kijkt de andere kant op. Expres.
Hij kijkt naar de overkant van de weg. Daar staan wat kale
struiken. En onder die struiken... Ziet Robin het goed?

Jazeker!

Daar ligt... de oude pop van tante Betty!

Heel even vergeet Robin de pijn. Hij staat op en loopt naar
de overkant van de weg. Hij raapt de pop op. Ze is kletskled-
dernat en er zitten schrammen op haar knietjes en haar
handjes en haar neusje. Dan voelt Robin alle pijn weer. Hij
begint te huilen.

Papa tilt Robin op en zet hem achter op de fiets. Heel langzaam rijden ze door de stromende regen naar huis.

'Dag meester!' roepen de jongens. 'Dag, ridder Validon!'

Zie je wel! Nu weten de jongens het!

Koude regendruppels en warme tranen glijden langs Robins wangen neer.

'Zullen we de pop meteen even naar tante Betty brengen?' vraagt papa.

'Dat wil ik niet,' zegt Robin.

'Weet je wat,' zegt papa, 'we laten haar eerst een nachtje drogen. We brengen haar morgen wel terug.'

'Wil ik ook niet,' zegt Robin.

'Wat wil je dán?' vraagt papa.

'Dat jij het doet,' zegt Robin.

En dat spreken ze af.

Thuis plakt Patricia pleisters op Robins knieën, op zijn handen en op zijn neus. Ze kan het heel goed.

Mama ligt te lezen in het hoge witte bed.

'Zullen we onder mama's bed spelen, papa?' vraagt Robin.

'Als jullie maar héél rustig doen,' zegt mama. 'Kunnen jullie dat?'

Robin en papa knikken. Ze knikken heel rustig.

'Dan was ik weer ridder Validon,' zegt Robin, 'en Knor was ridder Bommerkruit en jij was de koning, papa.'

'Toe maar!' zegt papa. 'Was ik de koning? Dat is fijn!'

'Jij was toch al de koning?' zegt Robin.

'Welke koning?' vraagt papa.

'De Koning te Rijk!' zegt Robin.

'Ach, natuurlijk,' zegt papa.

'Stil nou toch,' zegt mama. 'Suze slaapt.'

Robin tilt voorzichtig de deken van mama's bed op. Maar daar is Suze niet.

'Ze ligt in haar wiegje,' zegt mama.

Robin schuift héél voorzichtig het blauwe gordijntje van het wiegje opzij. Hij wil Suze zijn pleisters laten zien. Maar Suze slaapt. Robin ziet alleen haar kleine haartjes en haar neusje. Haar oogjes zijn weer dicht. Haar stralend blauwe oogjes.

Zwaardvechten

Midden in de nacht wordt Robin wakker. Klaarwakker. Hij zit rechtop in zijn bed.

Er is iets geks. Maar wat ook weer? O ja! Er zit een pleister op zijn neus! En op zijn handen zitten ook pleisters. Op iedere hand één. Robin voelt aan zijn knieën. Daar zitten de pleisters ook nog. Vijf pleisters. Dat is het gekke.

Er is ook iets heel gewoons. Maar wat ook weer? O ja! Hij moet plassen.

Robin stapt zijn bed uit. Hij doet het licht in de gang aan en loopt de trap af. Hé! In de keuken brandt nog licht. Robin gaat de keuken in.

Daar zit papa. Heel alleen. Hij heeft een flesje bier in zijn hand en zijn benen liggen languit boven op de keukentafel. Papa zit op zijn stoel, maar de stoel staat niet op vier poten, nee, de stoel wiebelt op twéé poten. Die papa! Papa doet allerlei dingen die Robin niet mag! Robin staat er stil naar te kijken.

Opeens ziet papa Robin staan.

'Man!' zegt hij. 'Wat ben ik blij dat jij even langskomt. Wil je een stukje kaas?'

'Waar is mama?' vraagt Robin.

'Mama ligt in het hoge witte bed in de kamer,' zegt papa. 'Ze slaapt. En Suze slaapt in het wiegje naast haar.'

'Ga jij niet naar bed?' vraagt Robin.

'Ik ben zó moe,' zegt papa, 'dat ik niet kan slapen.'

Wat is dat nu weer voor raars!

'Heb je het wel echt geprobeerd?' vraagt Robin.

Dat vraagt papa ook altijd als Robin niet kan slapen.

Papa lacht.

'Nee,' zegt hij. 'Niet echt. Ik denk dat ik te blij ben om te kunnen slapen.'

Papa ziet er niet echt blij uit, vindt Robin. Papa heeft een beetje rare ogen.

'Heb je gehuild?' vraagt Robin.

'Jazeker,' zegt papa.

Daar schrikt Robin van. Papa huilt nooit! Maar nu wel.

'Ik heb gehuild,' zegt papa. 'Omdat ik zo blij ben. Zo vreselijk blij, zo verschrikkelijk blij, zo geweldig blij, zo... zo... zó gelukkig!'

'Moet je dan huilen?' vraagt Robin.

'Kom es bij me zitten,' zegt papa.

'Ik moet zo nodig plassen,' zegt Robin.

'Ik ook,' zegt papa. 'Man, wat moet ik nodig plassen. Maar ik was te moe om te gaan plassen. Of misschien was ik wel te blij om te gaan plassen. Maar nú... gaan we plassen. Samen.'

Papa heeft nog nooit zo gek gedaan! Maar het is wel gezellig... zo gek doen, midden in de nacht. Papa staat op van zijn stoel en samen lopen ze naar de wc.

Ze plassen samen. Twee flinke stralen.

'Zwaardvechten!' roept papa.

Hij slaat met zijn straal plas tegen de straal plas van Robin. Robin slaat terug. Dat is grappig! Het is een echt gevecht. De stralen zijn de zwaarden. Ze slaan keihard tegen elkaar. En door elkaar heen. Want dat kan ook. De plas van Robin spettert flink over de rand van de wc. De plas van papa ook.

'Oei,' zegt papa als ze uitgeplast zijn, 'we hebben een beetje geknoeid.'

Hij pakt een dweiltje en maakt de vloer schoon.

'Het geeft niet,' zegt hij. 'Na een goed zwaardgevecht moet je altijd dweilen.'

Ze wassen hun handen en lopen terug naar de keuken.
Papa pakt een stuk kaas uit de ijskast en snijdt er twee dikke
sigaren af. Sigaren van kaas. Eén voor Robin en één voor
papa. Papa gaat weer op zijn stoel zitten en Robin kruipt bij
hem op schoot. Ze beginnen lekker te kauwen.

'Ik ben ontroerd,' zegt papa. 'Daarom moest ik huilen. Ik
ben zó gelukkig met de kleine Suze, zó blij... Dat heet ontroerd. Ik zou van puur geluk wel aan de lamp willen gaan
hangen.'

'Dan krijg je een schok,' zegt Robin.

'Precies,' zegt papa. 'En ik zou van puur geluk wel van het
dak willen springen.'

'Dan breek je je been,' zegt Robin.

'Precies,' zegt papa. 'En ik zou van puur geluk de hele
school wel onder de mayonaise willen smeren.'

'Dan moet je het er allemaal zelf weer afhalen,' zegt Robin.

'Precies,' zegt papa. 'Ik wil altijd heel erg rare dingen doen als ik gelukkig ben. Héél erg rare dingen. Maar die doe ik niet. Want ik ben niet raar. Maar ik wil ze wel doen. Ik heb dan een hoofd vol rare dingen die ik niet doe... En ja, dan ga ik soms zomaar huilen. Gek hè? Ik denk dat al die rare dingen die in mijn hoofd zitten mijn tranen naar buiten duwen.'

Robin denkt na.

'Toen mama zei dat Suze in haar buik zat,' zegt hij, 'toen wilde ik in mijn speelgoedkast klimmen.'

'Precies!' zegt papa. 'Maar je deed het niet.'

'Dat mag toch niet!' zegt Robin.

'Precies!' zegt papa. 'Het is ook een heel raar ding om te doen, in je speelgoedkast klimmen.'

'Ik heb ook niet gehuild,' zegt Robin.

'Nee,' zegt papa, 'dat is waar.'

'Ik wist niet dat dat kon,' zegt Robin.

Daar moet papa vreselijk om lachen. Robin wil niet dat papa zo hard lacht. Robin wil iets vragen. Het is belangrijk.

'Papa...' zegt hij.

Papa lacht nog even door. Gelukkig niet meer zo hard. 'Wat is er, lieverd?' vraagt hij.

'Papa,' vraagt Robin, 'was je ook ontroerd toen ik geboren was?'

'Nou en of,' zegt papa.

'Heb je ook gehuild om mij?'

'Verschrikkelijk gehuild,' zegt papa.

'Zat je toen ook heel alleen in de keuken?'

'Nee,' zegt papa, 'ik zat op een fiets.'

'Waarom dan?'

'Dat,' zegt papa, 'zal ik je vertellen...'

Piemels

Robin en papa zitten in de keuken. Robin zit bij papa op schoot. Het is midden in de nacht. Papa heeft zijn benen weer languit boven op de tafel gelegd, en de benen van Robin liggen languit op de benen van papa. Hun stoel wiebelt gevaarlijk op twee poten. Zo zitten ze daar. Dicht tegen elkaar aan. Midden in de nacht.

'Luister,' zegt papa. 'Toen mama en ik wisten dat jij geboren zou worden, gingen we naar het ziekenhuis. Mama ging met de tram en ik ging op de fiets.'

'Ben ik geboren in het ziekenhuis?' vraagt Robin.

'We woonden toen nog in de grote stad,' zegt papa. 'En in de grote stad is alles anders.'

'Opa en oma wonen ook in de grote stad,' zegt Robin.

'Precies,' zegt papa. 'In die stad was het. Goed dan. Toen mama voelde dat jij uit haar buik wilde komen, zijn we naar het ziekenhuis gegaan. Mama ging met de mooie blauwe tram en ik ging op de fiets. Het was avond en ik dacht: misschien wordt ons kindje wel midden in de nacht geboren, maar dan rijden de trams niet meer... Dan moet ik naar huis lopen.'

'Mocht je niet bij mama blijven toen ik geboren was?' vraagt Robin.

'Nee,' zegt papa. 'Dat mag niet in het ziekenhuis. Daarom ging ik op de fiets. Het was erg ver van het ziekenhuis naar het huis waar wij woonden. De grote stad is groot, weet je.'

Dat weet Robin. Hij is vaak in de grote stad geweest.

'Het was heel grappig,' vertelt papa. 'Mama stapte in de

tram en ik stapte op de fiets. De tram begon te rijden en ik
begon te fietsen. De tram ging natuurlijk veel harder, maar ik
deed vreselijk mijn best. Ik trapte en trapte. Het was een
koude avond, het sneeuwde ook een beetje, maar de zweet-
druppels stonden op mijn voorhoofd. Ik kon de tram niet bij-
houden, maar steeds als de tram ergens stopte, omdat er
mensen in of uit wilden stappen, dan haalde ik de tram weer
in en dan zwaaide ik naar mama en mama zwaaide naar mij.
Het was erg gezellig. En toen de tram bij het ziekenhuis
kwam, stapte mama uit en daar stond ik! Precies op tijd. Ik
zette net mijn fiets op slot. Ik had een rood hoofd van het
fietsen, maar dat vond mama niet erg.

Het sneeuwde nog steeds... weet je wat? Ik stop jou lekker
in bed, en als je in bed ligt, vertel ik verder. Goed?'

'Mag ik in het grote bed?' vraagt Robin.

'Man,' zegt papa. 'Wat ben ik blij dat je het vraagt. Ik was al bang dat ik vannacht alleen moest slapen.'

Papa tilt Robin op en draagt hem de keuken uit. De gang door. De trap op. Ze halen Knor uit Robins kamertje en gaan in het grote bed liggen. Met z'n drieën.

In de slaapkamer van mama en papa is geen nachtlampje. Het is er stikkedonker. Maar dat vindt Robin nu niet erg. Papa ligt op zijn rug. Robin ligt op zijn zij, dicht tegen papa aan. Knor is alweer in slaap gevallen.

'In het ziekenhuis,' vertelt papa, 'moest mama meteen in een hoog wit bed. Net zo'n bed als beneden in de kamer. Er was een zuster en die zei dat mama rustig moest gaan liggen en wachten tot de dokter kwam. "Ik kán helemaal niet wachten!" riep mama. "Mijn baby wil eruit, dat vóél ik toch!" Maar

de dokter was een andere mevrouw aan het helpen met
haar baby'tje.'

'Kon ik niet zelf naar buiten komen?' vraagt Robin.

'Nee,' zegt papa, 'daar moet mama bij helpen. Door heel hard te drukken met haar buik.'

'Drukken doe je op een deurbel,' zegt Robin.

Papa moet lachen.

'Moest mama mij uitpoepen...?' vraagt Robin.

'Nee,' zegt papa, 'zo heet dat niet. Het heet persen. Maar mama mocht nog niet persen, want de dokter was er niet. Dat was naar, want mama voelde dat jij eruit wilde. Man, man, wat wilde jij graag naar buiten.'

'Ik wilde mama en jou wel eens zien, denk ik,' zegt Robin.

'En wij wilden jou graag zien,' zegt papa. 'Reken maar. Die

arme mama... Maar eindelijk kwam de dokter. Hij kwam binnenrennen, zó snel! Zo snel als, als... Als een stuk zeep dat uit je handen glipt.'

'Jee,' zegt Robin, 'dát is snel.'

'Nou, dat mocht ook wel,' zegt papa. 'Gelukkig zei de dokter dat je meteen mocht komen. Mama was zó blij! Ik heb mama nog nooit zó mooi gezien. Ze begon meteen te persen.'

'En wat deed jij, papa?'

'Ik stond er maar een beetje bij,' zegt papa. 'Dat is gek hoor. Ik stond daar als een dikke beer alleen maar te kijken. Ja, ik hield mama's hand vast, als ze persen moest. Dat wilde ze graag, dan kon ze hard in mijn hand knijpen als het pijn deed.'

'Doet het dan pijn?'

'Jazeker doet dat pijn. Als er zo'n stevige baby uit je buik komt, dan doet dat pijn. Maar dat vond mama niet erg. Helemaal niet. Dat had ze er graag voor over. Dus ik hield mama's hand vast en fluisterde: "Goed zo, lieverd, het gaat goed. Toe maar, toe maar... Wat ben je dapper!" En dat was ook zo, mama was echt heel dapper. Steeds als ze even niet hoefde te persen lag ze te glimlachen.'

'Weet ik,' zegt Robin. 'Dat deed ze ook in de keuken, toen ik ziek was... Zijn mama's dapperder dan papa's?'

'Weet ik niet,' zegt papa. 'Maar ik denk het wel. Meestal wel, ja. Ja, ik geloof het wel.'

'Daarom krijgen mama's de baby's,' zegt Robin.

'Dat zal het zijn,' zegt papa.

En hij vertelt verder:

'En opeens, toen mama heel hard perste, zag ik haar buik een stukje opengaan. En toen ze nóg een keer zo hard per-

ste, zag ik jouw koppie komen. Ik zag een koppie met zwart
haar.'

'En allemaal bloed zeker,' zegt Robin.

'Natuurlijk,' zegt papa, 'daar zat ook wat bloed op... En mama perste nóg een keer heel hard... Met alle spieren in haar buik... En toen... floepte er een baby tevoorschijn!'

'En dat was ik,' zegt Robin.

'En dat was jij.'

'Telde je mijn teentjes?'

'Dat was het eerste wat ik deed.'

'Hoeveel?'

'Tien.'

'En telde je mijn vingertjes?'

'Dat was het tweede wat ik deed.'

'Hoeveel?'

'Tien.'

'En wat was het derde wat je deed?'

'Ik telde je piemels.'

'Hoeveel?'

'Eén...' zegt papa. 'En ik riep: "Het is een jongen!" en mama lachte en ze zei: "Dan heet hij Robin."'

'En toen was ik geboren,' zegt Robin tevreden.

'Toen was jij geboren,' zegt papa.

'En was je toen ontroerd?' vraagt Robin.

'Nee, dat kwam later pas,' zegt papa.

'Op de fiets?'

'Op de fiets,' zegt papa. 'Op de fiets in de sneeuw. Eerst stond ik met grote ogen naar jou te kijken. Je zat nog helemaal onder het slijm. Je was bijzonder vies, maar mama legde je op haar buik, en daar begon je meteen rond te kruipen. Je had natuurlijk dorst. Je zocht naar mama's borsten. Je was pas tevreden toen je die gevonden had en drinken kon.'

'En gaf je mij toen een kus op mijn koppie?'

'Wel duizend,' zegt papa.

'Op al dat bloed?'

'Op al dat bloed,' zegt papa. 'Net zo makkelijk.'

'En toen?'

'En toen...' zegt papa. Maar hij vertelt niet verder. Hij ligt heel stil. Hij is toch niet in slaap gevallen?

'Wat deed je toen?' vraagt Robin.

'Toen,' zegt papa, 'hoorde ik de kleine Suze.'

Nu ligt Robin heel stil. Het is waar. Hij hoort het ook. Beneden klinken kleine huilgeluidjes. Suze is wakker!

'Ah ah,' zegt papa. 'Die moet ik een schone luier omdoen... Nou, ze mag eerst even drinken.'

'Mag ik helpen met de luier?' vraagt Robin.

'Ben je helemaal mal!' zegt papa. 'Het is nu toch werkelijk de allerhoogste tijd. Hup! Mond dicht, ogen dicht, slapen.'

'En je zou nog vertellen,' zegt Robin, 'van de fiets in de sneeuw!'

'Is dat zo?' vraagt papa.

Robin knikt. Papa hééft het beloofd.

'Goed dan,' zegt papa. 'Mond dicht, ogen dicht, luisteren.'

Dansen

Robin en Knor en papa liggen in het grote bed. Beneden in de kamer liggen mama en Suze. Het is midden in de nacht, maar ze zijn alle vijf wakker. Mama geeft Suze de borst, Suze drinkt, en Robin houdt zijn mond stijf dicht. Zijn ogen ook. Hij luistert. Want papa vertelt.

'Toen jij geboren was,' vertelt papa, 'bleef ik bij jou en mama tot alles goed was. En toen mama en jij sliepen, gaf ik jullie een klein kusje en ik sloop op mijn tenen weg. Er was daar in het ziekenhuis geen bed voor mij en ik wilde proberen toch wat te slapen die nacht.

Ik stapte op mijn fiets en reed naar ons huis. Het sneeuwde nog steeds. Het was prachtig. Het leek wel of ik de enige was die nog wakker was in die grote, grote stad. Er reden geen trams meer en geen bussen en geen auto's, er wandelde niemand en er was er maar één die daar fietste. Dat was ik.

In de grote stad zijn zo veel straatlantaarns, en als de sneeuwvlokken dan precies onder de lampen van die lantaarns warrelen, in dat licht, dat is zo mooi... Ik keek naar die sneeuwvlokken en ik dacht steeds: ik ben een papa, ik ben een papa, ik heb een kind, ik heb een zoon! En ik was zó gelukkig! De tranen stonden in mijn ogen.'

'Je was ontroerd,' zegt Robin.

'Man, man,' zegt papa, 'wat was ik ontroerd. Ik was zó ontroerd, ik wou allemaal rare dingen gaan doen.'

'Maar die deed je niet, hè,' zegt Robin.

'Nee,' zegt papa. 'Ik begon te zingen... Ik reed daar met tranen in mijn ogen door de stad. En ik zal je wat vertellen: als je door tranen van geluk heen kijkt, dan is de wereld nóg mooier. Zeker als het zachtjes sneeuwt. Ik zag de sneeuw-vlokken in het lamplicht dansen en ik zong:

"Kleine Robin-man,
kijk es of je dansen kan!
Nee hoor, dansen kan ik niet,
want lopen kan ik ook nog niet.
Ik kan niet eens staan,
niet eens zitten gaan.
Rollen kan ik op de grond,
zomaar in het rond."
Dát zong ik,' zegt papa.
Robin vindt het een prachtig lied!
'Nog een keer,' zegt hij.
En papa zingt het nog een keer:
'Kleine Robin-man,
kijk es of je dansen kan!

Nee hoor, dansen kan ik niet,
want lopen kan ik ook nog niet.
Ik kan niet eens staan,
niet eens zitten gaan.
Rollen kan ik op de grond,
zomaar in het rond.'

'Toen was ik nog héél klein, hè papa?' zegt Robin. 'Want kijk nu eens naar me...'

Robin knipt het leeslampje boven het bed aan en springt op. Hij springt zo hoog hij kan en begint geweldig te dansen. Op het grote bed. Als een kangoeroe vliegt hij alle kanten op. Hij zwaait woest met zijn armen en hij roept:

'Kijk eens, papa! Hoe goed ik nu al dansen kan!'

'Ho ho ho ho!' roept papa. 'Pas toch op! Je hebt Knor uit bed gedanst!'

Het is waar. Het bed gaat zó hard op en neer, dat Knor eruit gewipt is. Maar Knor vindt het niet erg. Hij ligt te lachen naast het bed.

93

'Straks dans je mij er ook nog uit!' roept papa. 'Hou es op, alsjeblieft!'

Robin maakt een laatste sprong en ploft languit naast papa op het bed. Hij hijgt van het dansen.

'Zie je, papa,' hijgt hij, 'hoe goed ik al kan dansen?'

'Het was... subliem!' zegt papa. 'Stil es...'

Robin en papa zijn stil. En Knor ligt heel stil naast het bed te lachen. Beneden horen ze mama fluiten. Mama fluit een piepklein liedje. Dat doet ze altijd als ze wil dat papa komt. Of Robin. Of allebei.

'Ah ah,' zegt papa. 'De schone luier!'

Hij stapt uit bed en trekt zijn pantoffels aan. Robin wil mee naar beneden, maar eigenlijk mag het niet. Papa heeft net gezegd dat het niet mag. Maar Robin wil zo graag! Hij stapt gewoon uit bed en trekt ook zijn pantoffels aan.

'Aan het werk!' zegt papa.

Maar dat is fijn! Papa is helemaal vergeten dat Robin niet mee mag naar beneden! Samen lopen ze de trap af, de gang door, de kamer in.

'Wat krijgen we nou!' zegt mama. Ze kijkt Robin verbaasd aan. 'Wie hebben we daar? Wat doe jij hier nog zo laat?'

'Ik kon niet slapen,' zegt papa. 'En Robin kwam beneden en toen hebben we wat gebabbeld. We lagen net in bed.'

Robin staat naast het hoge witte bed. Hij kijkt naar zijn zusje, dat daar naast mama onder het dekbed ligt.

'Dag Suze,' zegt hij.

Hij kriebelt Suze in haar handje. Suzes vingertjes grijpen Robins grote vinger meteen stevig vast.

'Ze geeft me een hand!' juicht Robin.

'Geef haar maar een kusje,' zegt mama. 'En dan geef je mij een kus, en papa ook, en dan... als de wiedeweerga naar je bed!'

'Een vierkus!' roept Robin. 'Kom, papa!'

Papa komt. Mama neemt Suze in haar armen en papa tilt Robin op. Zo kussen ze elkaar, mama en papa en Robin en Suze. Alle vier tegelijk. Mondhoek op mondhoek, mondhoek op mondhoek, mondhoek op babymondhoekje, babymondhoekje op mondhoek... Hun kusjes passen precies op elkaar.

Een vierkus.

Midden, midden, midden in de nacht.